Franklin i wróżka Zębuszka

Tekst Paulette Bourgeois
Ilustracje Brenda Clark
Tłumaczenie Patrycja Zarawska

WYDAWNICTWO

DEBIT

FRANKLIN był już dużym chłopcem. Umiał zawiązać sobie buciki, umiał też liczyć – normalnie i po dwa. Miał wielu szkolnych kolegów i przyjaciół, a także najlepszego przyjaciela – misia. Żółwik i miś byli w tym samym wieku. Mieszkali w tej samej okolicy. Mieli te same ulubione gry. Chodzili do tej samej szkoły. Jednak pewnego dnia Franklin odkrył, że jest coś, co ich wyraźnie różni.

Franklin
i wróżka Zębuszka

Czekając rano na autobus szkolny, miś ni stąd, ni zowąd włożył sobie łapę do buzi i poruszał zębem. Ząb kiwał się w przód i w tył, a miś ruszał nim i ruszał, aż go pociągnął trochę mocniej i… wyjął z ust!

– Zobacz! – zawołał. – Wypadł mi pierwszy ząb!

Franklin był przerażony. Na zębie widać było jeszcze ślady krwi.

– To straszne – wyszeptał żółwik. – Co teraz powiesz mamie?

Miś zachichotał.

– Nic takiego – odparł. – Mleczne zęby przecież wypadają, kiedy przychodzi na nie pora. Muszą zrobić miejsce dla nowych zębów, stałych.

Franklin przesunął językiem po dziąsłach. Były twarde i gładkie, ale... zupełnie bezzębne.

– Ja nie mam zębów – powiedział żółwik.

Tym razem to miś był zaskoczony.

Słysząc to, koledzy Franklina potrząsnęli głowami.

– Niedobrze – orzekli.

Franklin nie wiedział, czemu tak się przejęli. Do tej pory wcale nie potrzebował zębów.

Miś owinął swój ząb w chusteczkę higieniczną i schował zawiniątko do plecaka.

– Tu będzie bezpieczny – powiedział z zadowoleniem.

Przez całą drogę do szkoły Franklin zastanawiał się, czemu miś tak troskliwie owinął swój stary ząb i schował go w bezpiecznym miejscu. Po co mu ząb, który już wypadł, tym bardziej że zrobił miejsce nowemu zębowi?

– Misiu, po co ci ten stary ząb? – nie wytrzymał w końcu żółwik, gdy już prawie dojechali do szkoły. – Przecież mówiłeś, że niedługo wyrośnie ci nowy, większy.

Koledzy z całego autobusu spojrzeli na Franklina ze zdumieniem. Miś wyglądał, jakby go zamurowało. Nie mógł wykrztusić ani słowa.

– Nie słyszałeś o wróżce Zębuszce? – spytał lis.

Franklin przecząco pokręcił głową.

– Wieczorem, zanim się położysz spać, kładziesz mleczny ząb pod poduszką. A gdy śpisz, przylatuje wróżka Zębuszka i zabiera ząb – wyjaśnił lis.

– Ale to kradzież! – oburzył się żółwik. – A poza tym: po co jej te wszystkie zęby? Kolekcjonuje je czy co?

Zapadła długa, kłopotliwa cisza. Miś podrapał się w głowę, lis zamiótł ogonem, a królik zrobił dziwną minę.

– Nie wiem, po co jej te zęby – odpowiedział wreszcie miś. – Ale zawsze zostawia coś w zamian.

– Aha, zostawia swój ząb, tak? – zapytał Franklin.

Wszyscy się roześmiali.

– Och, Franklinie! – lis pokręcił głową. – Wróżka Zębuszka zostawia w zamian prezent.

Franklin był coraz bardziej zaciekawiony. Jaki też prezent można dostać w zamian za mleczny ząb, który wypadł i do niczego nie jest potrzebny?

– Mam nadzieję, że dostanę za ten ząb trochę pieniędzy – powiedział miś.

– Ja za mój pierwszy ząb dostałem książkę – przypomniał sobie szop.

– A ja kredki – powiedział lis.

Franklin znów przesunął językiem po dziąsłach. Też chciałby mieć zęby. Gdyby któryś wypadł, mógłby go zostawić pod poduszką dla wróżki Zębuszki i dostać za to jakiś miły prezent.

Gdy tylko weszli do szkoły, miś pokazał swój ząb pani sowie. Nauczycielka uśmiechnęła się.

– Jeśli wypadają wam zęby, to znak, że dorastacie – rzekła.

Franklin posmutniał i nic nie powiedział. Nie miał zębów, ale też chciał dorosnąć. Wszystkim kolegom wypadają zęby, a jemu nie. Skąd będzie wiedział, że dorasta? A prezent od wróżki Zębuszki? Czy to znaczy, że nic od niej nigdy nie dostanie? Przez cały dzień w szkole Franklin w ogóle się nie odzywał. Był bardzo strapiony.

Nawet w domu Franklin nie odzyskał dobrego humoru.
– Co się stało? – zapytała mama, widząc minę synka.
– Nie mam zębów – odparł Franklin.
– My też nie – odrzekł tato. – Żółwie nie mają zębów.
– Ale ja chcę mieć zęby – powiedział płaczliwie żółwik.
Rodzice spojrzeli na niego zaskoczeni.

– Moi koledzy, kiedy im wypadają mleczne zęby,
dostają prezenty od wróżki Zębuszki – pożalił się
Franklin.

– A dlaczego dostają prezenty za stare zęby? –
zainteresował się tato.

– Bo to znaczy, że dorastają – wyjaśnił Franklin.

– Rozumiem – tato pokiwał głową.

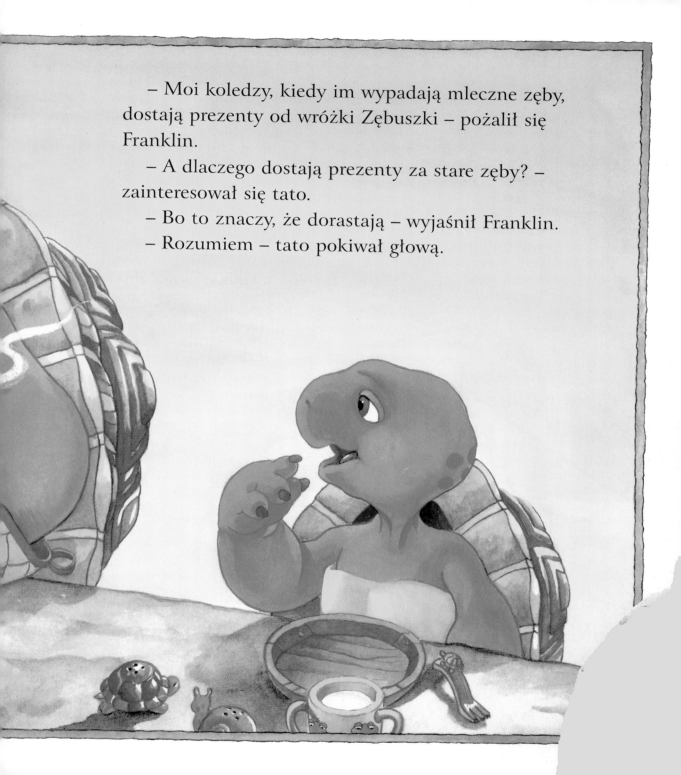

Wieczorem Franklin przed zaśnięciem wpadł na pewien pomysł. Może wróżka Zębuszka nie wie, że żółwie nie mają zębów. Znalazł przed domem mały biały kamyczek i położył na noc pod swą skorupką. Poprosił też mamę, żeby mu pomogła napisać list:

Droga wróżko Zębuszko!
Oto ząb żółwia. Możliwe, że jeszcze nigdy takiego nie widziałaś. Bardzo Cię proszę o prezent.
Franklin

Mama Franklina pokręciła głową z powątpiewaniem.
– Chcesz oszukać wróżkę. To nie jest dobry pomysł.

Nazajutrz rano Franklin obudził się wcześnie. Czym prędzej zajrzał pod skorupkę. Kamyk zniknął, ale nie było żadnego prezentu. Żółwik znalazł za to mały liścik. Pobiegł z nim do pokoju rodziców.

– Co tu jest napisane? – zapytał prawie bez tchu.

Tato włożył okulary i przeczytał:

Drogi Franklinie!

Przykro mi, ale żółwie nie mają zębów. Lepiej już więcej nie oszukuj.

Twoja przyjaciółka, wróżka Zębuszka

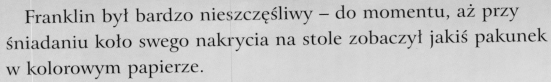

Franklin był bardzo nieszczęśliwy – do momentu, aż przy
śniadaniu koło swego nakrycia na stole zobaczył jakiś pakunek
w kolorowym papierze.

– To dla mnie? – spytał z niedowierzaniem.

– Tak. Otwórz – zachęciła go mama.

W kolorowy papier owinięta była piękna, ciekawa książka.

– Od kogo to? – pytał dalej Franklin z wypiekami na twarzy.

– Od nas – wyjaśnił tato. – Żeby uczcić to, że dorastasz.

Żółwik wyprostował się i rozpromieniony zawołał:

– Dziękuję wam! Dziękuję!

Od tej pory Franklina nie martwi to, że się trochę różni od misia. Mały żółw wie, że we wszystkich ważnych sprawach jest dokładnie taki sam, jak przyjaciel.